CARROUSEL
MINI-ROMAN

EH Héritage jeunesse

COLLECTION
CONÇUE ET DIRIGÉE
PAR YVON BROCHU

SYLVIE NICOLAS

DANS
LE VENTRE DU
TEMPS

ILLUSTRATIONS
MIREILLE LEVERT

Données de catalogage avant publication (Canada)

Nicolas, Sylvie, 1956-

Dans le ventre du temps

(Collection Carrousel)
Pour enfants.

ISBN : 2-7625-8118-4

I. Titre. II. Collection.

PS8577.I358D36 1995   jC843'.54   C95-940572-0
PS9577.I358D36 1995
PZ23.N52Da 1995

Dépôts légaux: 3e trimestre 1995
Bibliothèque nationale du Québec
Bibliothèque nationale du Canada
Bibliothèque nationale de France

ISBN : 2-7625-8118-4   Imprimé au Canada

Direction de la Collection: Yvon Brochu,
R-D Création enr.
Direction artistique: Dominique Payette
Conception graphique de la collection: Pol Turgeon
Graphisme: Diane Primeau
Conseillère: Thérèse Leblanc, enseignante
Correction-révision: Marie-Thérèse Duval

LES ÉDITIONS HÉRITAGE INC.
300, rue Arran, Saint-Lambert (Québec) J4R 1K5
(514) 875-0327

À Louis Étienne,
pour m'avoir appris que
nous sommes tous
dans le ventre du temps.

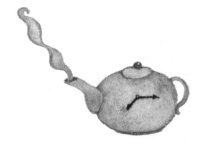

Papa a dit:

– Je n'ai pas le temps aujourd'hui.

Maman a dit:

– Tout à l'heure. Quand j'aurai le temps.

Assis dans son lit, Petit Louis pense:

– Un jour, moi, je vais emprisonner le temps.

Mais le temps est rusé.

Il file, comme un petit bout
de fil emporté par le vent.

Petit Louis ferme les
yeux. Tous les jours,
il entend son papa
et sa maman dire:

– Je n'ai plus le
temps de rien faire.

Vite, Petit Louis
ferme sa main.

– Je viens de
capturer le temps.
Là, dans ma main,
j'ai le temps!

Il ouvre la main.
Le temps n'est pas
là.

– Où est le temps?
se demande Petit
Louis en regardant

autour de lui. Que fait le temps quand je dors? Où va-t-il?

Depuis quelque temps, Petit Louis reste assis dans son lit une partie de la nuit.

Sur le mur de sa chambre, la lune dessine des formes. Petit Louis imagine des visages. Des bébés baleines. Des barreaux comme ceux d'une prison. Des voiliers. Puis il ferme les yeux et les formes changent. Cette nuit, il a vu un chapeau à fleurs, un géant à une dent, une épée molle et... une très vieille horloge.

9

– L'horloge de grand-père! Oui, c'est ça! crie Petit Louis. Le temps est peut-être prisonnier dedans.

Petit Louis bondit dans son lit. Il prend son élan et il atterrit debout sur le plancher. Il fait trois pas de géant et il ouvre la porte du placard de sa chambre. Il pousse les vêtements tout mous qui dorment

encore. Il ouvre la porte se-
crète qui mène au grenier.
Voilà Petit Louis qui monte
l'escalier. Il compte les marches:
— Une, deux, trois, quatre.
À la cinquième, il se lève
sur le bout des orteils. Il tire
sur une corde et une ampoule
bleue colore tout le grenier.

Dans le bleu des yeux de Petit Louis, l'horloge de grand-père est immense comme un grand-père.

– Oh! fait Petit Louis.

Petit Louis avance. Ses yeux fixent les aiguilles de l'horloge: elles sont arrêtées!

– Le temps est peut-être prisonnier dedans, dit Petit Louis, tout excité.

Soudain, les aiguilles de l'horloge, comme deux petits

bras, lui font signe d'avancer. Les petits bras pointent le gros bouton doré qui les réunit. Petit Louis comprend: il met son doigt sur le bouton. L'horloge ne bouge pas. Mais juste derrière lui, le coffre de bois s'ouvre. Le bruit fait sursauter Petit Louis qui se retourne. Il voit alors des poussières monter dans la lumière bleue. Elles dansent et chantent.

– Tu as ouvert le coffre aux mille folies, chantent les poussières.

De sa main gauche, Petit Louis garde le couvercle

ouvert. Il se penche et regarde. Il n'y a rien dedans, sauf... un livre.

– Le livre de la magie, dit Petit Louis en lisant le titre.

Petit Louis s'assoit et ouvre le livre.

– Il y a peut-être une formule magique pour capturer le temps... fait l'enfant.

Avec le bout de son doigt, Petit Louis parcourt la liste des formules magiques. Hélas!

aucune ne parle du temps. Ni des parents qui n'ont pas le temps. Très déçu, il laisse tomber le livre par terre. Tout à coup, Petit Louis voit

le livre s'ouvrir tout seul.

Les pages se mettent à tourner rapidement! Puis elles s'arrêtent. Là, sous ses yeux, il y a le dessin d'un vieux monsieur. Sous le dessin, il est écrit:

«Si aucune formule magique ne réussit, faire apparaître le

magicien des temps anciens.»

– Un magicien des temps anciens! Il sait peut-être des choses sur le temps!

Petit Louis se couche à plat ventre. Il pose son doigt sur la formule magique: Ga la fi lou/ pi la ga tou/ tandi co ra/ pa ti/ pa ta!

Petit Louis respire très fort. Il répète dans sa tête la formule magique. Puis, d'une voix forte, il lance trois fois:

– Ga la fi lou/ pi la ga tou/ tandi co ra/ pa ti/ pa ta!

Le grenier devient tout rose. Comme une bouche, le couvercle du coffre s'ouvre et se referme sans arrêt. L'horloge sonne.

Petit Louis tremble. Il ferme les yeux. Dans sa tête, il pense très fort au temps.

Il l'imagine comme un vieux monsieur à barbe blanche. Comme un magicien des temps anciens. Il ouvre les yeux.

À la place de l'horloge, un vieux monsieur se tient debout, les bras ouverts. Et ce vieux monsieur ressemble comme

deux gouttes d'eau à celui
qu'il vient d'inventer dans sa
tête.

Le vieux monsieur se se-
coue. La poussière danse
autour de lui. Il se penche et
dit:

— La nuit, le temps prend

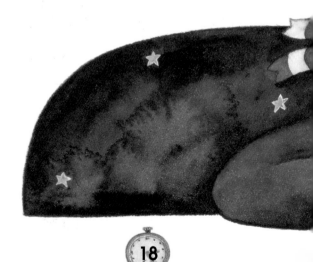

son temps. Nous avons tout notre temps. Tu peux jouer à être qui tu veux. Un Petit Louis du temps jadis. Ou un Petit Louis du temps futur.

– Je veux être un nombre, dit Petit Louis.

– Un nombre...

Au-dessus de la tête du vieil homme, un point d'interrogation se dessine.

– C'est que, ajoute Petit Louis, j'ai entendu ma mère dire qu'il y a très longtemps, un enfant avait pour nom Louis... Quatorze.

– Ah! fait le monsieur. Ce nombre-là!

– C'est possible? questionne Petit Louis.

– Dans le ventre du temps, tout est possible.

Et le vieux monsieur, comme un enchanteur, se met à chanter.

Il était une fois,
deux fois,
quatorze fois,

un petit roi.
Il était tout ouïe,
le petit Louis.
Il était tout oreille,
le Roi Soleil!

Et pouf! Petit Louis se retrouve tout en haut d'un énorme chiffre quatre. Petit Louis rit. Comme un soleil du samedi. Comme une oie. Comme un roi. Une couronne se pose sur sa tête. Des chevaux viennent tourner autour de lui. Une musique l'enveloppe. Le vieux monsieur est debout à côté du grand chiffre un. Il a l'air minuscule. Tout comme Petit Louis, assis sur

son quatre.
Les chevaux
se mettent à
galoper. Le
n o m b r e
quatorze se
transforme
en char que
les chevaux
tirent à vive
allure.

– Regarde,
Petit Louis! dit le monsieur.
Le temps passe de chaque
côté de nos têtes! Tu vois,
nous traversons le temps!

Les chevaux s'arrêtent
brusquement. Ils dispa-
raissent. Les nombres aussi.

Petit Louis est assis dans

le vide. Il a peur. Il a fermé les yeux.

Il tombe. Il s'enfonce. Puis il glisse sa main sous lui. Du velours? Il ouvre les yeux. Un grand fauteuil. Une salle très  vaste! Avec des murs très hauts. Des murs de pierre. Et des chandeliers partout!

– On dirait un château, dit Petit Louis.

Des gens lui sourient. Des dames font la révérence devant lui.

Tout comme les messieurs avec leurs chapeaux à plumes qui lui chatouillent le nez.

– Atchoum! fait Petit Louis.

– Bienvenue au château! hurle un bouffon tout rond.

– Sa majesté le Roi Louis! crie un valet.

Petit Louis rit. Le vieux monsieur à barbe blanche se tient debout près du fauteuil de Petit Louis... LE ROI LOUIS QUATORZE!

– Tu peux demander tout ce que tu veux! lance le magicien des temps anciens.

– Euh... Je veux... dit Petit Louis. Je veux...

– Les désirs de Sa Majesté sont des ordres... grimace le bouffon qui saute, tombe, se relève.

– Sa Majesté veut des jouets?

En disant ces mots, le bouffon fait apparaître un tambour et une armée de soldats de plomb.

Petit Louis fait non de la tête.

Le bouffon fait claquer ses doigts et les jouets deviennent des biscuits et des gâteaux.

Les gens applaudissent.

Content, le bouffon salue la foule.

– Miam-miam! fait alors le bouffon en frottant son bedon. Ultra miam et remiam! Sa Majesté veut goûter?

– Non! répond Petit Louis.

Le bouffon fait claquer ses doigts. Les biscuits et les

gâteaux se changent en sucreries. Les gens font «Oh!»
tellement c'est beau. Gonflé
comme un ballon, le bouffon
crie:

– Pour sucrer le palais de
Sa Majesté!

Petit Louis fait non.

Les yeux du bouffon s'allument. Il fait deux tours sur lui-même et prononce une formule magique:

– Bou ti ca bou dou zou la la la bim boum paf!

Les sucreries se transforment en danseurs et en danseuses. Les pieds des garçons et des filles frappent le sol sur une musique folle. Dans la grande salle, tout le monde se met à danser. Petit Louis semble s'amuser. Pourtant, en quelques secondes seulement, le sourire de Petit Louis s'évanouit. De nouveau, il secoue la tête.

– Je veux... dit Petit Louis... capturer le temps.

Un grand silence tombe sur le tapis.

– Je veux garder le temps pour toujours. L'arrêter. L'empêcher de filer.

Les danseurs et les danseuses disparaissent. Le bouffon s'assoit par terre et ne sait plus quoi faire.

Le vieux monsieur à barbe blanche se penche et dit:

– J'ai bien peur, mon petit, que ce ne soit pas possible. Même pour

le magicien des temps anciens.

La grande salle se vide. Et les chapeaux à plumes s'envolent tout comme des oiseaux de paradis.

– Voyons, voyons… murmure le vieux monsieur devenu gris comme la pluie.

Il marche dans la grande salle. Il marche dans le silence. Il met sa vieille main sur son menton. Puis sur sa tête. Il gratte son vieux front.

Au coin de
ses yeux, des
pattes d'oie
s'allongent.
Des étoiles se
détachent de
son grand
manteau.
Elles sautent
autour de sa
tête.

Sa tête qui
pense, qui réfléchit. Comme
un miroir, comme une lumière
dorée. La tête du vieux monsieur ressemble à la Terre.

Dans la grande salle, le vieux monsieur arrête de marcher, se retourne et demande à Petit Louis:

– Est-ce que je peux demander à Sa Majesté pourquoi Sa Majesté veut si fort capturer le temps?

Petit Louis se lève. Il est sérieux comme un roi qui fait la loi.

– Je veux attraper le temps pour que mon père et ma mère n'en manquent plus jamais. Je veux garder le temps pour qu'ils aient le temps de me raconter à quoi ils jouaient quand ils étaient enfants. Vous comprenez?

La tête du vieux monsieur fait oui. Autour de lui, les étoiles clignent comme des yeux de tigre. Le monsieur comprend tout. Tout le temps.

— Il y a peut-être une façon, dit le vieux monsieur. Allez, Petit Louis, prends ma main, nous repartons dans le ventre du temps!

L'énorme nombre quatorze apparaît au fond de l'immense salle.

Il vole vers eux. En un clin d'œil, Petit Louis se retrouve assis

sur le quatre. Le vieux monsieur met ses bras autour du
un. Il se met à chanter:
Il est une fois,
deux fois,
quatorze fois,
un petit roi.
À la bonne heure,
il a du cœur.

Et la nuit,
sans peur,
il redevient
Petit Louis.

La salle disparaît. Les chevaux reviennent. Le nombre quatorze se transforme de nouveau en char tiré par les chevaux. Les chevaux vont de

plus en plus vite. Le char traverse le ciel. De grands draps s'agitent devant. Les chevaux hennissent.

– Petit Louis! lance le vieux monsieur qui tient la main du garçon. Regarde bien, regarde droit devant!

Petit Louis obéit.

Le char fonce dans les draps. Tout devient noir. Petit Louis et le magicien des temps anciens entrent dans un autre temps. Devant eux, un petit garçon et une petite fille brillent comme des soleils dans la nuit.

– Il était une fois… deux petits enfants, lance la voix douce et grave du monsieur.

– C'est mon papa! C'est ma maman! Je les reconnais! hurle Petit Louis. Comme sur les photos que nous avons à la maison.

– Regarde, mon petit… Regarde ton papa quand il était petit.

Petit Louis voit son papa-petit garçon lancer un ballon. Sauter par-dessus une clôture. Accrocher son pantalon. Tomber. Se relever. Construire une cabane. Jouer avec un chaton.

– C'est lui!
crie Petit
Louis. C'est
lui!

– Regarde
encore,
chante le
vieux mon-
sieur. N'ar-
rête pas de
regarder,
mon petit!

Sous les yeux de Petit Louis,
sa maman-petite fille se met à
jouer aux espions avec des
garçons, à la reine et aux
princesses avec ses amies.
Elle saute à la corde. Elle se
balance très haut sur une
balançoire. Elle berce une

poupée dans son lit, le soir.

Petit Louis glisse de son quatre et tombe doucement dans les airs.

Il sent un souffle chaud dans son dos. La voix du vieux monsieur le réchauffe.

— Prends ton temps, Petit Louis. Prends ton temps.

Le long manteau du monsieur couvre le ciel.

Petit Louis ne voit plus rien devant lui. Mais il sent les mains du vieux monsieur s'approcher des siennes. Très doucement, le vieux monsieur dépose deux jouets anciens dans les mains de l'enfant.

– Ne les laisse pas tomber... fait le vieil homme. Et ne m'oublie pas, Petit Louis!

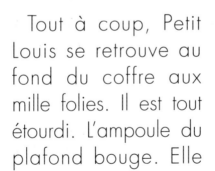

Tout à coup, Petit Louis se retrouve au fond du coffre aux mille folies. Il est tout étourdi. L'ampoule du plafond bouge. Elle

valse dans la lumière bleue.
Petit Louis s'assoit. L'horloge
est toujours là. Les yeux de
Petit Louis fouillent le
plancher: le livre de la
magie a disparu.

– Ah non! crie Petit Louis.
L'horloge sonne un coup.
Les aiguilles se sont remises
à tourner.

– Petit Louis! Qu'est-ce
que tu fais ici? Nous te
cherchions partout!

Petit Louis regarde sa
maman et son papa qui
se tiennent sous l'am-
poule bleue.

Les poussières sou-
lèvent les cheveux de sa
mère et font briller les

yeux bleus de son père.

– Mais c'est ma poupée! dit la maman en la prenant des mains du petit.

– Et ça... c'est mon tambour, dit le papa. Mais où as-tu trouvé ça, mon garçon?

Et au milieu de la nuit, comme si le temps prenait son temps, Petit Louis écoute papa et maman raconter:

– Quand j'étais petit, dit papa en frottant la peau de son tambour...

– De mon temps, poursuit maman en berçant sa poupée...

COLLECTION CARROUSEL

MINI

1 Le sixième arrêt
2 Le petit avion jaune
3 Coco à dos de croco
4 Mandarine
5 Dans le ventre du temps
6 Le plus proche voisin
7 D'une mère à l'autre
8 Tantan l'Ouragan

PETITS

1 Loulou, fais ta grande!
2 On a perdu la tête
3 Un micro S.V.P.!
4 Gertrude est super!